Un Libro Primero de Lectura

Este sencillo libro de lectura contiene solamente 63 diferentes palabras, que continuamente repetidas ayudarán a nuestro joven lector a reconocer las palabras, cautivando su interés por la lectura.

Lista de palabras básicas para el libro ¡Te Ves Cómico!

a	elefante	le	son
abrigo	encontró	león	su
ahora	entonces	lo	sus
amigo	era	modo	te
apariencia	es	muy	tu
así	estaba	no	tú
cola	estar	orejas	tus
con	este	oso	un
contento	fabricó	otro	una
cómica	feliz	panda	ves
cómicas	franjas	par	vez
cómico	grandes	pronto	volvió
de	igual	puso	y
dijo	la	quitó	ya
día	larga	repente	zebra
el	las	se	

¡Te Ves Cómico!

Escrito por Joy Kim

Ilustrado por Patti Boyd

Troll Associates

Traducido por Virginia Barone

Library of Congress Cataloging in Publication Data

Kim, Joy.
  You look funny!

    Summary: Panda learns that "Beauty is in the eye
of the beholder" when he is criticized for his
appearance by all the animals except his own kind.
    [1. Pandas—Fiction] I. Boyd, Patti, ill.
II. Title.
PZ7.K5597Yo   1987   [E]   86-30839
ISBN 0-8167-0976-9 (lib. bdg.)
ISBN 0-8167-0977-7 (pbk.)

10 9 8 7 6 5 4 3 2 1

Panda era un oso.

El era un oso feliz.

El estaba contento

con su apariencia.

De pronto, un día, se encontró a un elefante.

El elefante le dijo, "Te ves cómico."

"Tus orejas son cómicas."

Panda ya no estaba muy contento.

De este modo se fabricó un par de grandes orejas.

El fabricó sus grandes orejas y se las puso.

Entonces se encontró a un león.

El león le dijo, "Te vez cómico."

"Tu cola es cómica."

Panda ya no estaba muy contento.

Así se fabricó una larga cola.

El fabricó una larga cola y se la puso.

De pronto se encontró a una zebra.

La zebra le dijo, "Te ves cómico."

"Tu abrigo es cómico."

Panda ya no estaba muy contento.

De igual modo se fabricó un abrigo con franjas.

El fabricó un abrigo con franjas y se lo puso.

De repente se encontró con su otro amigo
Panda.

El amigo Panda le dijo, "Te ves cómico. ¡Tú eres un Panda cómico!"

Y así Panda se quitó sus grandes orejas.

Se quitó su larga cola.

Se quitó el abrigo con franjas.

Y volvió a estar feliz con su apariencia.

Y ahora Panda es un oso feliz.